小牛顿科学馆

全新升级版

FENG

台湾牛顿出版股份有限公司　编著

桂图登字：20—2016—224

简体中文版于2016年经台湾牛顿出版股份有限公司独家授予接力出版社有限公司，在大陆出版发行。

图书在版编目（CIP）数据

风／台湾牛顿出版股份有限公司编著．—南宁：接力出版社，2017.3（2024.1重印）
（小牛顿科学馆：全新升级版）
ISBN 978-7-5448-4759-9

Ⅰ.①风…　Ⅱ.①台…　Ⅲ.①风－儿童读物　Ⅳ.①P425—49

中国版本图书馆CIP数据核字（2017）第029222号

责任编辑：程　蕾　　郝　娜　　美术编辑：马　丽
责任校对：李姝依　　责任监印：刘宝琪　　版权联络：金贤玲
社长：黄　俭　　总编辑：白　冰
出版发行：接力出版社　　社址：广西南宁市园湖南路9号　　邮编：530022
电话：010-65546561（发行部）　　传真：010-65545210（发行部）
网址：http://www.jielibj.com　　电子邮箱：jieli@jielibook.com
经销：新华书店　　印制：北京瑞禾彩色印刷有限公司
开本：889毫米×1194毫米　1/16　　印张：4　　字数：70千字
版次：2017年3月第1版　　印次：2024年1月第11次印刷
印数：121 001—129 000册　　定价：30.00元

本书地图系原书插附地图
审图号：GS（2023）2424号

目录

写给小科学迷

风轻拂脸庞，令人感到舒畅。天上的云随风变幻，植物的种子随风远扬，在适合的地方繁衍下一代。风无处不在，在能源日渐短缺的今日，风力发电越来越受欢迎。但是，破坏力强大的龙卷风和台风却也时常威胁人们的生命和财产安全。让我们来认识让人又爱又怕的“风”吧。

无处不在的自然力量——风

风，对我们而言，真是再熟悉不过了！虽然我们看不见风，却可以感受到它的存在。唐代的诗人李峤曾写过一首名为《风》的古诗："解落三秋叶，能开二月花。过江千尺浪，入竹万竿斜。"说明人们很早就通过自然现象来描述风的存在了。

看！天上的白云慢慢飘远了，树梢上的叶子晃个不停，脸上、手上的皮肤仿佛被一片羽毛轻轻地拂过，这些现象都是风儿存在的证明呢！

风的本领真不少

“哇！好大的风！”

追逐被风吹跑的帽子，真是让人又生气又不免觉得好玩。风虽然没有形状、不可捉摸，但本事却不少。有风时可以玩风车、放风筝；屋檐下的风铃也会因风而发出清脆的响声；妈妈晒在外头的衣服，没多久也被风吹干了；风也能帮助帆船前进，乘风破浪。你能想象没有风的世界会变成什么模样吗？

迎风飞扬到远方

“小种子，你们怎么能够飞得那么高呢？”

“这有什么难的，你看，只要把冠毛张开，风伯伯一来，我们就可以起飞了！”昭和草的种子抖了抖冠毛，眼见风儿吹过，就一个个像搭飞机似的乘风远行，离开原来生长的地方，到新的土地繁衍下一代。

风儿也会大扫除

“呼！”吹一口气把灰尘吹掉,你一定有过这样的经验吧！风儿也会做这样的事哟！在大都市，机动车排放的尾气如果遇上特殊的天气情况而无法往高空扩散，地面上的

人就好像被罩在一个小房间里，呼吸污浊的空气，很快就会呼吸困难。这时如果能刮阵风，就能把污浊的空气吹散，让人松口气。

环绕地球的大气层中，最靠近地面的一层称为“对流层”，层内气温通常是上冷下热。地面的热空气会往上和冷空气对流，污浊的空气就可以借此稀释掉。如果对流层发生上热下冷的情况而形成“逆温层”，就会罩住地面的热空气，如果再加上无风状态，空气的污染程度就会很严重。

风是怎么产生的呢?

你听过太阳与风比赛谁力量大的寓言故事吗?最后是太阳赢了。其实,如果没有太阳光的照射,就不会产生风。

当太阳光照射到地球表面时,由于地表的覆盖物性质不同,例如陆地、海洋等受到阳光照射后,温度的变化也各不相同,所以就造成有的地方热,有的地方冷,同时影响接近地表的空气的温度。较热地区的空气温度较高,密度较小,便形成低气压区;较冷地区的空气温度低,密度大,则形成高气压区。空气会从气压高的地方流向气压低的地方,这种空气流动的现象就是“风”。由于地球上随时都有冷热不同的空气形成,所以风会时时刻刻产生。

常年不变方向的风——信风

“看！又被风吹得乱七八糟的！”

其实，风并不像我们想象中那样四面八方地乱吹。地球接受太阳的热量，并非每个地方都一样多。其中以赤道附近受热最多，南、北极地区受热最少。于是，冷空气从两极流向赤道，热空气从赤道向上升后流向两极，这就是全球性的盛行风。在盛行风当中，以南、北纬30度到赤道附近的东南信风和东北信风与人类关系最为密切。在古代，人们利用信风驾驶帆船，在这两个信风带间做生意，所以又称东南信风、东北信风为“贸易风”。

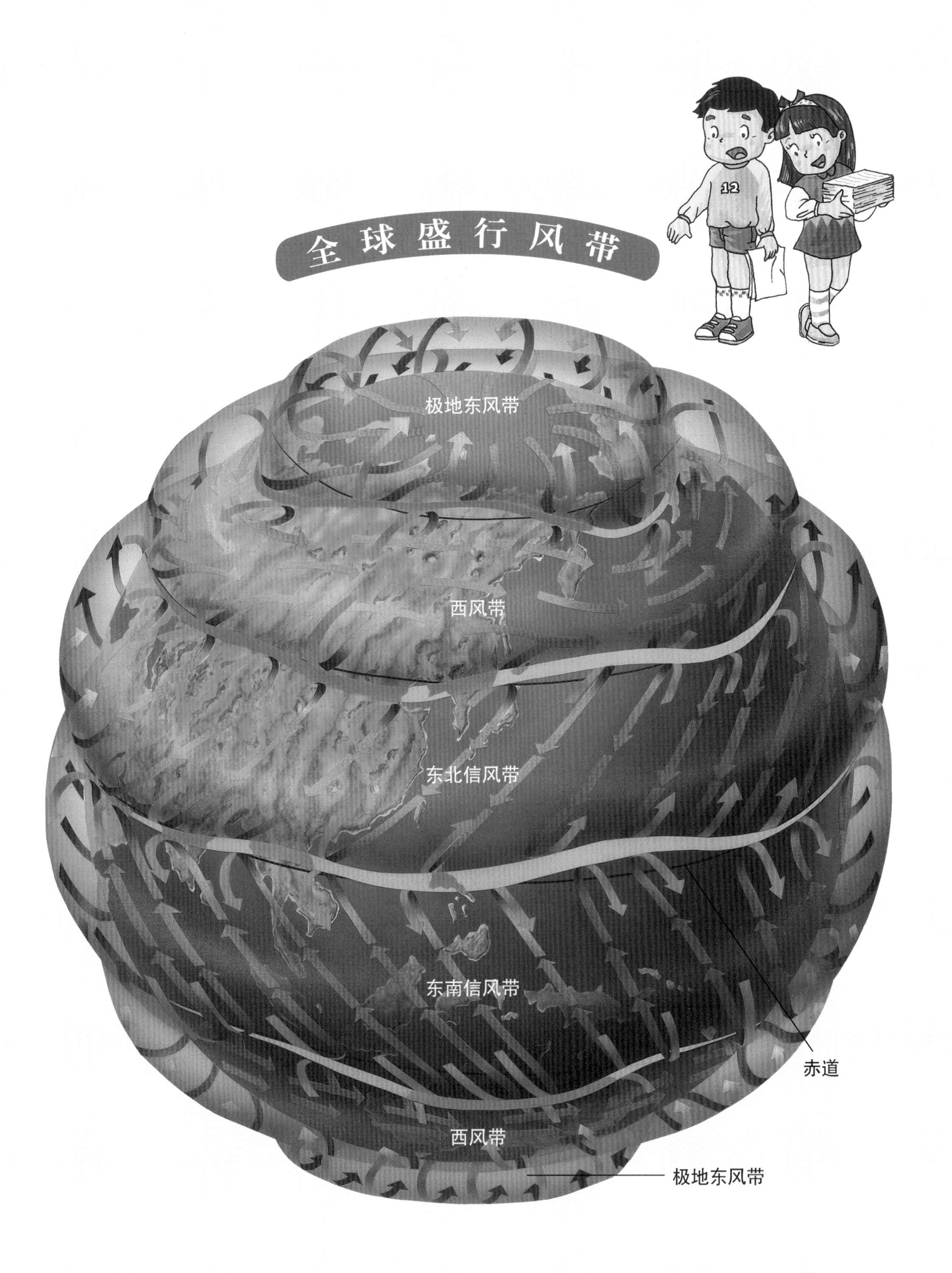
全球盛行风带
极地东风带
西风带
东北信风带
东南信风带
赤道
西风带
极地东风带

捕风捉影的仪器

赛跑时，裁判会用秒表来测量我们奔跑的速度。同样，风儿虽然看不见，但它“跑”的速度还是可以测量出来的。风吹的速度叫作“风速”，风吹得快，风力就强，所以“风速”也可以称为“风力”。我们通常利用“风杯风速计”来测量风速。

要利用风来从事种种活动，例如放风筝、驾帆船等，都必须先知道风是从哪个方向吹来的，也就是“风向”。风向标是用来测定风向的，它的顶端是只小飞机，根据机头所指的方向，我们就可以知道风是从哪个方向吹来的。通常，地面风向用4，8，16，32个方位表示，空中风向用360度水平方位来表示。

眼观八方测风速

除了利用精密仪器来测量风速外，我们还有一种最简单的方法来判断风速，那就是“目测法”。在1805年，英国海军上将蒲福创立了目测风速的方法，并且依据风速的大小分级，称为“蒲福风级*”。这种目测风速的方法原先是应用在海上的，后来也用在陆地上。蒲福风力等级表是通过观察周围景物因风而呈现的状况，进而估计出当时的风速。现在就来试一试吧！看看你能不能判断出风速都是哪一级。

0级 无风（0—0.2米/秒），平静，炊烟直直往上。

1级 软风（0.3—1.5米/秒），从炊烟可以看出风向，但是风向标不会转动。

2级 轻风（1.6—3.3米/秒），脸上感觉有风，树叶微微作响，风向标会转动。

3级 微风（3.4—5.4米/秒），树叶和小树枝会摇动，旗帜飘摇。

4级 和风（5.5—7.9米/秒），灰尘和纸片飞起，树枝摇动。

5级 清劲风（8.0—10.7米/秒），小树摇摆，池塘的水面会起波浪。

6级 强风（10.8—13.8米/秒），大树枝摇动，电线发出呜呜声，雨伞不易打开。

7级 疾风（13.9—17.1米/秒），整棵树摇动，迎着风走，会感到一股阻力。

8级 大风（17.2—20.7米/秒），小树枝被吹断，迎风走路困难。

9级 烈风（20.8—24.4米/秒），烟囱被吹倒，建筑物损坏。

10级 狂风（24.5—28.4米/秒），整棵树连根拔起，房屋毁坏，很少在陆地上见到。

11级 暴风（28.5—32.6米/秒），会造成重大灾害,在陆地上几乎看不到。

12级 飓风（台风）（32.7—36.9米/秒），会造成很严重的风灾。

* 蒲福风级共分17级，12—17级均称为飓风，风速大于61.2米/秒的风不再分级，一律称“17级以上”。

威力惊人的龙卷风

洗完澡后，拔开栓塞，我们可以看到浴缸里的水像旋涡一样流入下水口。如果把手靠近下水口，可以感觉到一股强大的吸引力，龙卷风的发生就类似这种情形。龙卷风是一种范围不大，风力却十分强劲的旋风，发生在陆地的叫“陆龙卷”，发生在海上的叫“水龙卷”。龙卷风可以把地面或水面上的东西卷上天去，某些地方曾经出现过风雨夹杂许多鱼从天空掉下来的景象，这都是龙卷风的“杰作”！

热乎乎的风

大热天里，用扇子扇一扇会觉得凉快些。可是，并非所有吹来的风都会让人感觉凉快。当风被高山挡住去向时，只能沿山坡往上升，气温也会伴随高度的上升而降低，风中含有的水汽会凝结成雨落在山坡上。当风越过山顶后，会沿山坡往下降，气温会越来越高，这股风就变得又干又热，会使山坡上的植物枯萎，严重时，还会引起森林火灾。这种热乎乎的风被称为“焚风”。

焚风通常发生在固定的地方，名称也会因地而异。例如，吹向北美洲西部主要山脉落基山脉东侧的焚风被称为“钦诺克风”，吹向日本北海道日高山脉西南侧的焚风被称为“日高霜风”。

大自然的雕刻家

如果又干又冷的风不停地吹向脸颊，我们一定感觉十分难受，而且皮肤也会变得粗糙。同样,大地经常受到各式各样的风儿吹拂,久而久之,也就出现了各种不同的“风”貌。风力对地貌的作用有两种：风蚀作用和风积作用。风蚀作用是风力对地表的侵蚀作用，主要形式是吹或磨，这种力量能够塑造许多模样奇特、意趣横生的地貌景观。风会侵蚀地表，也会搬运、堆积沙土而造成风积地貌。常见的风积地貌有沙丘地貌和黄土地貌。

通常在气候干燥的地区，比较容易看出风力对地貌的塑造作用，有些地方因为气候潮湿，只有在滨海地区才会形成风蚀及风积的地貌。

对抗风力有妙招!

你知道汽车为什么要做成流线型吗？流线型是一种使物体在经过水和空气等流体时，受到阻力最小的外形。像鱼的外形就是一种流线型。你是否也注意到飞机机翼纵剖面是泪滴状的呢？因为眼泪流下来的形状就是飞机在空气中运动时阻力最小的流线型。其他像潜水艇、火箭、导弹等也各有不同的流线型设计，这些设计都是经过“风洞测试”而制造出来的。

风洞依不同的用途而有许多不同的设计：风速小于声速的叫作“亚声速风洞”，大于声速的叫“超声速风洞”，超过声速5倍以上的叫“高超声速风洞”。还有研究地面建筑物的“大气层风洞”、研究天气变化的“气候模拟风洞”等。通常将被测物体按比例缩小做成模型，放入风洞中，再利用巨大的风扇提供气流能量，制造各种速度的人造风，观察并记录被测物体受到风力影响的情形。加了烟线的气流可以看出被测物体的外形是不是理想的流线型，烟线越顺贴着物体表面，表示物体所受的阻力越小，也就是越理想的流线型。

风儿帮忙好做事

“好大的风车哟！这一定是在荷兰。”

我们一看到风车，立刻就会联想到荷兰。其实，利用风来做动力的国家有很多，而且历史也十分悠久呢！风车是利用风力产生动力的机械，主要的构造有风轮、支架和传动装置三部分。风轮受到风力就会转动，再经过传动装置，就可以推动磨粉机或抽水机。

风车的设置地点很重要，通常都选择地势高、风速适当，而且周围没有阻碍的地区，这样产生的动力比较大。

价廉物美的绿色能源

这是风力发电机，它是利用风力吹动风车，然后启动发电机来发电的。在能源紧张的今天，因为建造风力发电机的费用比其他形态的发电厂，如核能发电厂、火力发电厂等都便宜，再加上不用燃料、没有污染等优点，使得大家更加重视风力发电的技术。看了风儿的种种风采，你是否对风有更进一步的认识了呢？

超级旋风——鼠尾风

鼠尾风就是我们所说的龙卷风。早在1752年，清朝乾隆时期就有龙卷风的记录了，当时称为“鼠尾风”，因为从积雨云底部伸出的“漏斗云”的确非常像老鼠的尾巴。全球除了寒带地区较罕见外，各地均有龙卷风发生，美国大平原南部是全世界龙卷风发生频率最高的地区。

积雨云是龙卷风的摇篮

龙卷风的发生经常是突如其来的，而且它的威力惊人，因此关于它的研究报告也比较少。

一般认为，在夏季一些对流运动特别强烈的巨型积雨云中，上下蒸汽层温差很大，较容易产生龙卷风。当强烈上升气流到达高空时，如果是遇到很大的水平方向气流，就会迫使上升气流向下倒转，产生小旋涡。经过上下蒸汽层空气进一步的激烈搅动，这些小旋涡便会逐渐扩大，形成一个中空的空气旋转柱。然后，这个空气旋转柱的一端渐渐向积雨云下方伸出，呈漏斗状，就形成了龙卷风。

有的龙卷风只有一个漏斗，有的有好几个漏斗，持续时间有的只有几秒钟，有的可长达数小时。

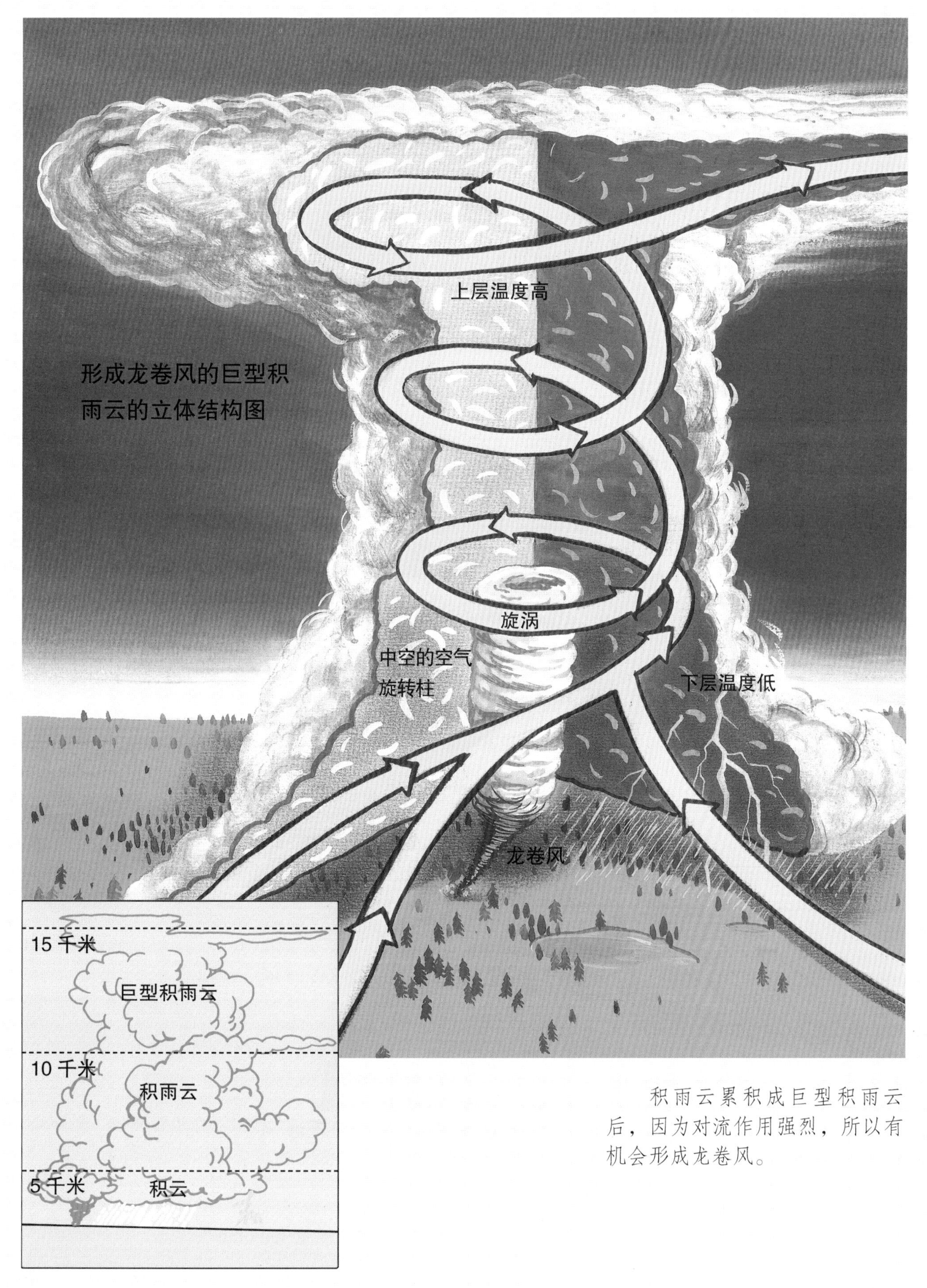

积雨云累积成巨型积雨云后，因为对流作用强烈，所以有机会形成龙卷风。

爆炸般的威力

龙卷风形成后，有的悬挂在天空，有的延伸到地面上，一面旋转，一面向前移动。悬挂在天空的龙卷风，会对空中的飞机造成很大的威胁。接触到地面的龙卷风，会对房屋、农作物和人们的生命安全造成严重威胁。

为什么龙卷风的威力如此惊人呢？这是因为龙卷风内部的空气很稀薄，气压很低，因此，当它经过紧闭门窗的房屋时，由于屋内、屋外的压力差非常大（内大外小），使屋顶和四壁受到一个由里向外的巨大作用力。这种突然产生的力量，会把屋顶掀掉，使四壁崩塌，就像在房屋内部发生了大爆炸一样。等到房屋炸成碎片，龙卷风的漏斗云就会如同一台巨大的吸尘器一般，再把一切东西吸入，直到旋风的势力减弱变小，或随龙卷风内的下沉气流下沉时，再把吸上来的东西抛下去。

龙卷风的旋涡状漏斗和台风中心相似，但它的直径很小，一般只有二三百米，大的也不过2千米，风速却比台风大得多。

强烈台风，直径 400 千米，中心风速 51 米/秒。

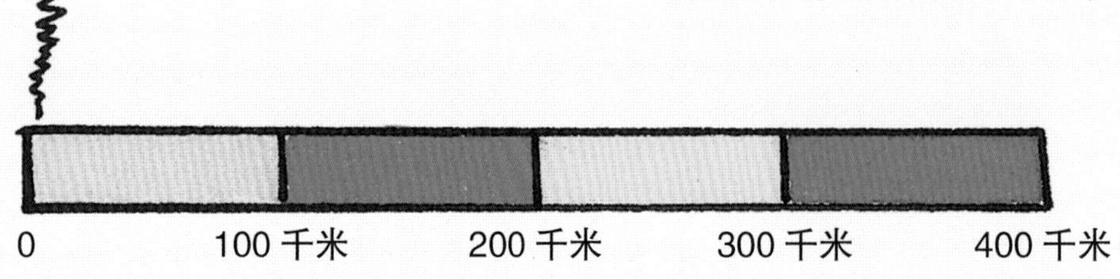

龙卷风，直径从数百米到 2 千米，中心风速超过 70 米/秒。

龙卷风经过门窗紧闭的房屋时，由于房屋内外的压力差太大，使房屋向外爆裂。

奇特的“鱼雨”“钱雨”

龙卷风的巨大吸卷力常常会把海中的鱼类、粮仓里的谷物等卷到高空中，再随暴雨降落到地面上，于是就形成了“鱼雨”“谷雨”“豆雨”，甚至“钱雨”等稀奇古怪的现象。在我国古代也常发生龙卷风，所以自古以来就有许多有关这些奇特现象的记载。

台风来啦！

“呼——”窗外风声大作，吹得门窗咔咔响，倾盆大雨也下个不停，大树在风雨中摇摆，家里停电了，公共汽车以及火车都暂停行驶……

台风来了可真不是件好事，它就像个任性的小孩，撒野捣蛋一番以后，拍拍屁股就溜走了，留下一堆烂摊子让我们伤脑筋。让我们来认识台风这个顽皮的家伙，并增加一些对付它的常识吧！

扫一扫，看视频

台风与飓风

水汽及高温加速发展

台风是一个巨大的空气旋涡，直径在200—1200千米。通常台风都产生在热带海洋上，当气温在26.5摄氏度以上时，大量的海水由于太阳直射，受热蒸发而升空，渐渐形成密度小、压力小的低气压。空气都是由气压高的地方流向气压低的地方，当四周的空气流向这个低气压时，因为地球自转，使它以逆时针方向呈螺旋形旋转，于是就形成了空气旋涡。如果气温一直不下降，也没有强风来吹散这个空气旋涡，它就可越来越大而成为台风。

大量海水受到太阳直射而蒸发，升空后形成低气压，再逐渐成为空气旋涡，最终形成台风。

风雨中的宁静——台风眼

由于台风这个大空气旋涡快速地旋转，产生了强大的离心力，而使得外围的空气无法进入旋涡中心，于是中心部分便成了无风无雨的宁静地区，甚至还会出现阳光呢！

这一片宁静的地区叫作“台风眼”，直径通常在20—40千米。台风的强度越大，台风眼就越清晰。一旦台风风力逐渐减弱，台风眼也就逐渐模糊。

我们常听到“中心附近最大风力”这个名词，所谓的“中心附近”指的就是台风眼四周的地区，也是台风威力最强的部分。台风可依强度分为轻度、中度、强烈和超级强烈台风，就是以台风眼地区的最大风速为标准来划分的。

台风警报知多少?

台风来袭时，手机、收音机或电视里都会播报台风动态，当气象局发布台风警报时你是否曾经仔细听过，通常要说明这是今年第几号台风、台风中心位置、中心附近最大风力、进行方向、进行速度及暴风半径等，而且还要预测 12 小时或 24 小时后的台风中心位置及台风动态、注意事项等。

什么时候要发布台风警报呢？当台风的暴风圈在未来 24 小时里，可能会来到海岸线 100 千米以内时，就必须发布海上台风警报。如果在未来 18 小时里，台风的暴风圈可能会侵袭陆地时，就会发布陆上台风警报。

做好准备防风灾

有这样一句话：“多一分防风准备，少一分损失。”这是因为太平洋西岸常有台风光临，尤其在7月到9月更是频繁，往往造成重大损失。例如，大树拦腰折断或被连根拔起，电线断落，铁路路基被冲毁，山洪暴发或河水暴涨，鱼塘里的鱼虾流失，农田被淹没，等等。为了把灾害降到最低限度，我们只有在事前多费点心！

名词小字典

暴风圈：平均风速在15米/秒以上的风力范围。

暴风半径：由台风眼向外算起，直到风速为15米/秒的地方。通常台风越强，暴风半径便越大。

大自然的雕刻杰作——风棱石

你看过一块块棱角分明的大岩块吗？就如刚被切割机切过似的，线条锐利而夸张！在强风盛行的地区，便以孕育这种“怪石”而闻名！这种怪石正是风蚀作用的产物，我们称它为“风棱石”。

奇石景观

在冬季盛行东北季风的中国台湾北海岸，海岸附近的沙丘上还散落了许多从山上崩落下来的安山岩块。这些巨大的岩块原本就具备了棱和面，又受到海风挟带沙粒不断磨蚀的影响，使得岩块的棱角更尖锐，石面更平滑，最后，便形成了风棱石奇景。

这些风棱石大致可分为三种：一种是部分埋在沙丘中的岩块，裸露的部分被磨蚀成平滑面；另外一种是散布在沙丘上的巨大岩块，体积很大，长久以来都没有移动过，因此不断地遭受盛行风磨蚀而形成典型的风棱石；还有一种体积很小的风棱石，最大不过一个方向盘大小，也被磨蚀成有棱有角的平滑面。

我们可以发现，风棱石的生成必须具备几项重要的条件：露出地面的适当岩块、强风和多沙。

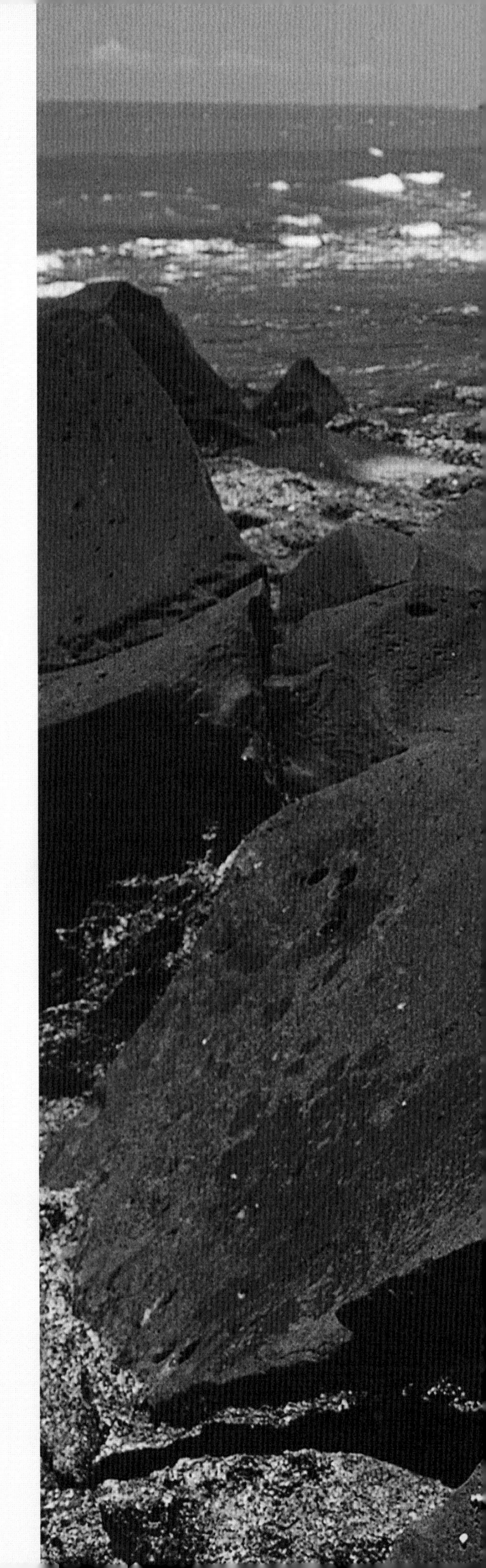

风棱石大家族

风棱石的棱面有各种变化，如果依棱面的数目来分，以四面风棱石最多，其次是三面风棱石，偶尔也会出现难得一见的一棱二面风棱石。

沙丘风棱石

沙滩风棱石

如果依分布情况的不同，还可以将风棱石分为沙丘风棱石、沙滩风棱石两种。由于地理环境的差异，所生成的风棱石也都各有各的特征。

沙丘风棱石

大多零星地散布在向风的沙丘顶和坡面上，受风蚀的影响最大，因此岩面会出现明显的孔穴与沟槽，而且棱角极尖锐，岩面也最平滑。

沙滩风棱石

分布在沙滩上，同时受风蚀和海蚀影响，棱角比较明显，盛行风面也较平滑。

所有的风棱石都必须经过很长时间才能形成，是一种非常罕见的自然景观。有机会见到时，千万别错过了观赏这大自然的雕刻杰作！

飞机升降时，为什么会耳鸣？

我们的耳朵分为外耳、中耳和内耳三部分。中耳像一个小盒子，分别以一片鼓膜及一层很薄的骨骼和外耳、内耳相隔。中耳到咽喉后壁有一条咽鼓管，又叫“欧氏管”，可让空气进入中耳，平衡中耳和外耳道的压力。

当飞机上升时，气压迅速降低，外耳道的压力减少，但内耳的压力仍和在地面时一样，也就是内耳的压力超过外耳。这时耳膜会向外突出，发出声音，我们便会有耳鸣，甚至耳痛的感觉。当飞机下降时，情况正好相反，中耳仍维持在高空时的低压，而外耳道的压力却逐渐增加，使耳膜向内凹陷，同样会引起不舒服的感觉。

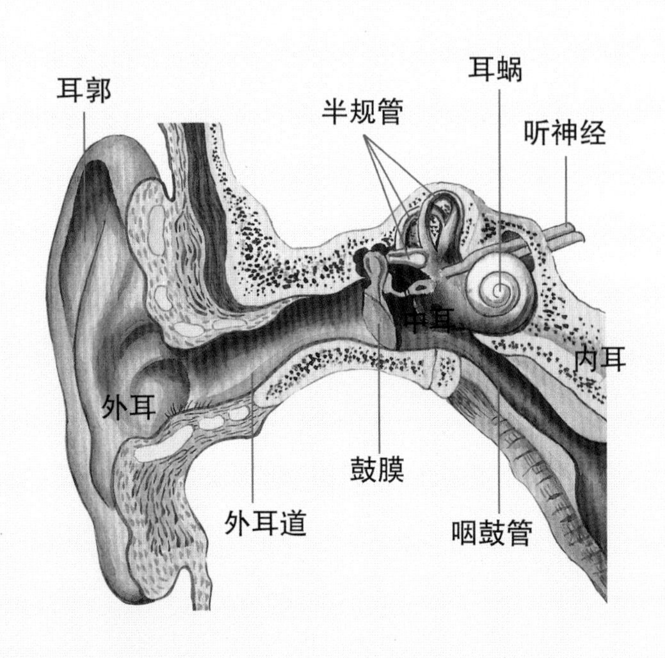

乘风高飞的风筝

你会放风筝吗？放风筝是中国传统的休闲活动之一，至今仍然大受欢迎，就连造型设计也一直求新求变。而世界各地也都有各自独特的风筝造型设计呢，快一起看看有哪些造型特殊的风筝吧！

世界风筝齐亮相

风穴风筝

韩国的风筝中间都有个风穴，可将风筝飞行中过多的压力排除，保持平衡稳定，材质以棉线、竹子为主。

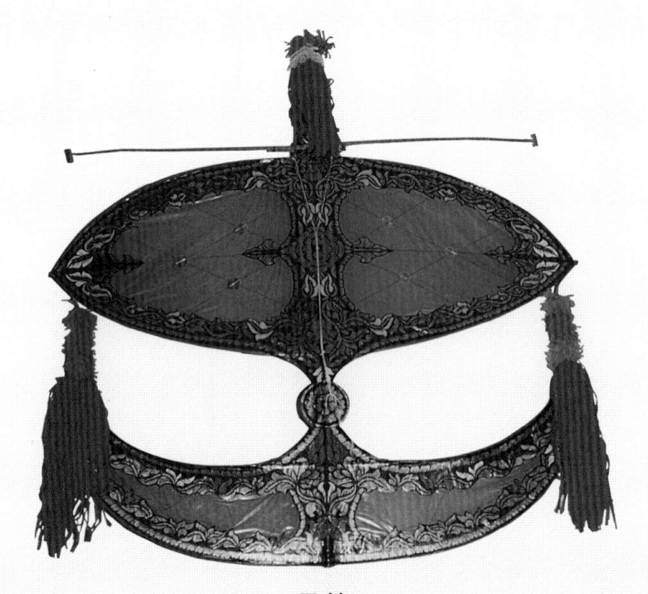

月筝

气囊式风筝

先将黑色部分吹满空气后，才能放到空中。升空后，气流会不断流入黑色机尾的充气孔中，补充风筝内的空气，使风筝继续停留在空中。

浮世绘风筝

这是日本传统式风筝，材料以棉线、竹子为主，变化不大。

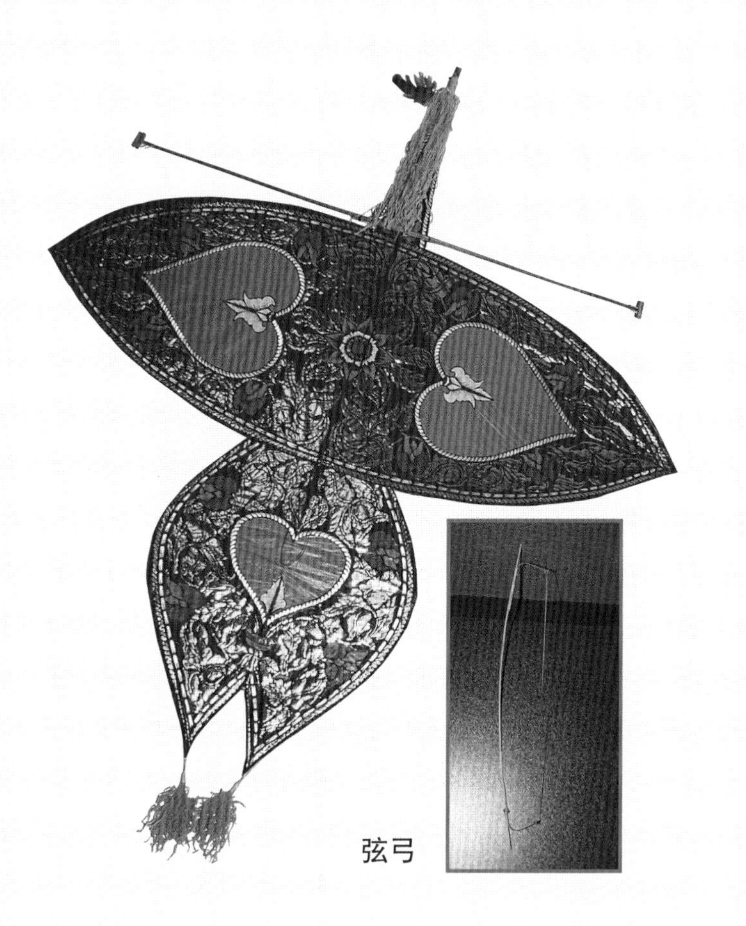

盾牌风筝

这是印度专门用来比赛的风筝。风筝放到高空时，利用长线和其他风筝缠斗，把对方的风筝割断即获得胜利。长线是蘸过胶水，再滚上玻璃纤维做成的细线，使用时要小心，避免手被割伤。

月筝

这是马来西亚有名的月筝，代表月亮。筝面完全由剪纸、纸雕一层层贴上去。风筝顶端系着弦弓，空气流过弦弓时，宛如手在撩拨一样会发出声响，造型有男女的区别呢！

巧思风筝

利用包装纸做成的风筝，很有创意吧！

如何做一个飞得又高又久的风筝?

风筝可不可以飞，制作过程很关键哟！让我们先来了解制作风筝时该注意哪些事情。

1. 左右对称平衡

风筝的结构分为左右两边，两边的面积、重量及竹条粗细、弹性大小都必须相同才能平衡。

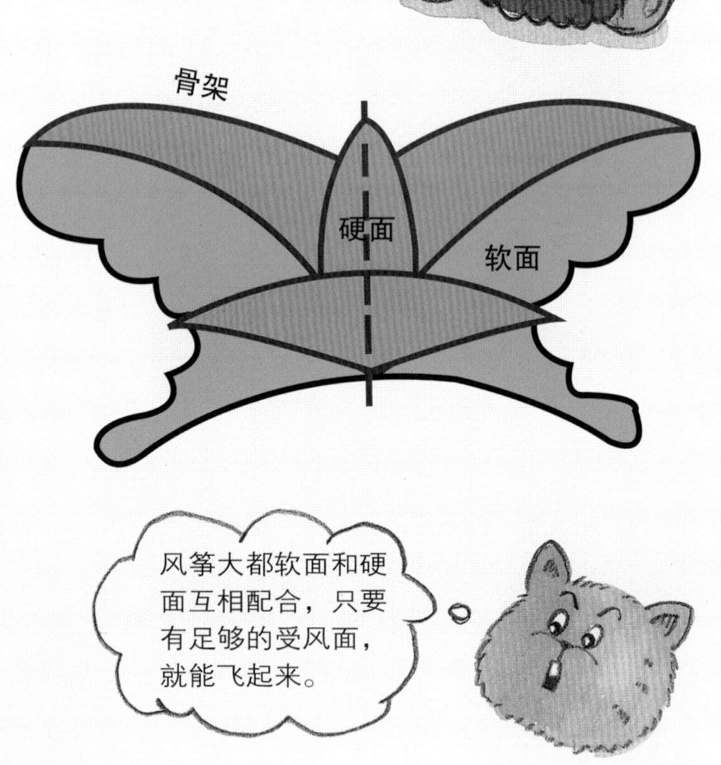

2. 硬面、软面要恰当

风筝面被骨架完全围住的部分称为“硬面”，用来承受风力，使风筝扬升在空中。没有被骨架围住的部分称为“软面”，可避免风筝承受过多的风压，保持平衡稳定，但完全没有骨架的风筝是飞不起来的哟！

3. 提线的位置

通常上提线与风筝面成90度是最容易飞行的角度。若遇到强风时，可以加大上提线的角度，在90—110度之间，使风筝下部能排出过多的风压，减少阻力，风筝就能平稳地在空中飞翔。

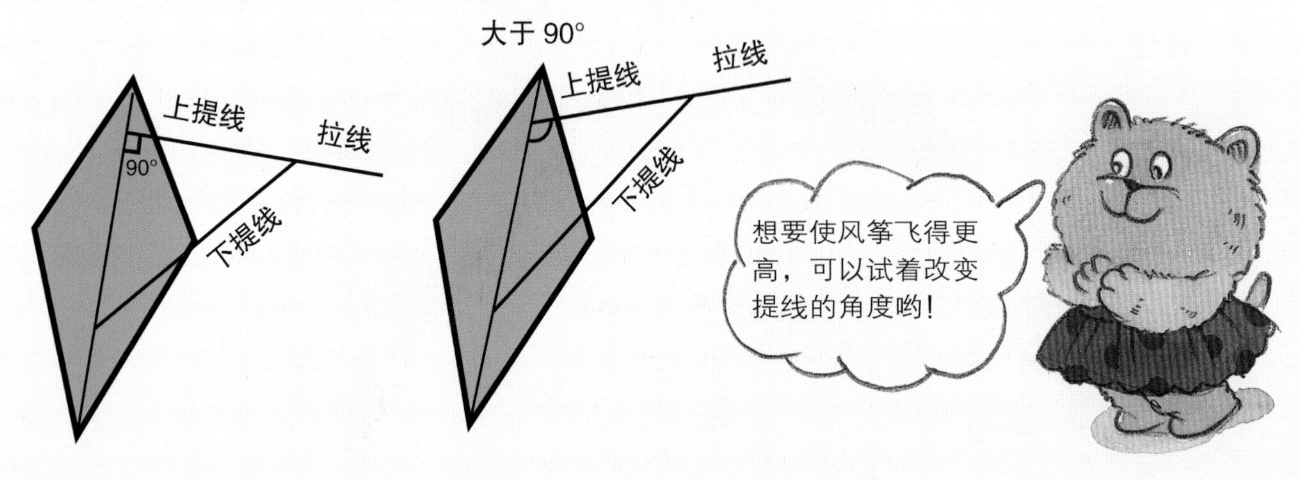

大显身手做风筝

终于要自己动手做风筝喽！准备好材料，现在可以大显身手了。

准备材料

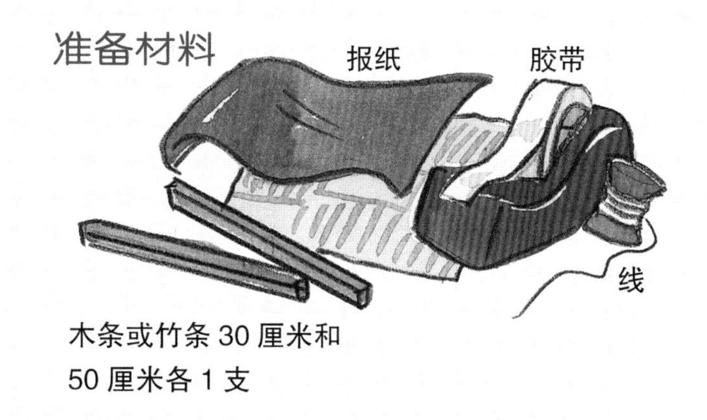

木条或竹条 30 厘米和 50 厘米各 1 支

制作方法

1. 利用报纸折一个正三角形，用笔把线画出，打开对折的正三角形，沿线剪下。

2. 把长 30 厘米的竹条竖直放于两个直角间，用胶带固定好。

3. 将另一支长 50 厘米的竹条弯成弧形，放于另两个直角间，再用胶带固定于报纸上，风筝的骨架就完成了。

4. 剪下长 30 厘米、宽 2 厘米的纸带 8 条，在两翼各贴上一条纸带，再将其余纸带粘成两个长条，粘在尾部当尾巴。

5. 在竖直的竹条距尾端 1/4 处，及距顶端 1/6 处的两旁钻孔，并穿上一条约为风筝面宽 1.5 倍长的线，从风筝正面拉出，作为提线。

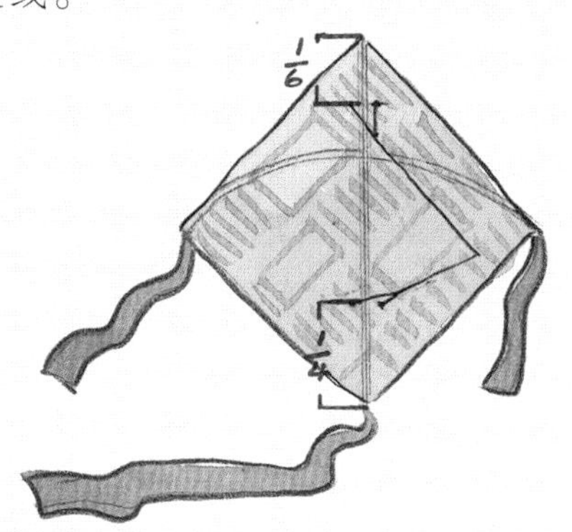

6. 在提线的适当位置系上拉线，风筝就完成了。

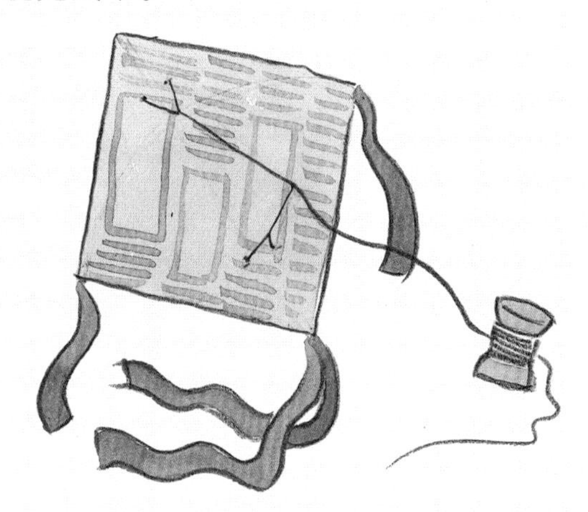

大家一起放风筝

风筝做好了，快来放风筝。放风筝可要选对场所，哪些场所适合呢？走一趟迷宫你就知道啦！

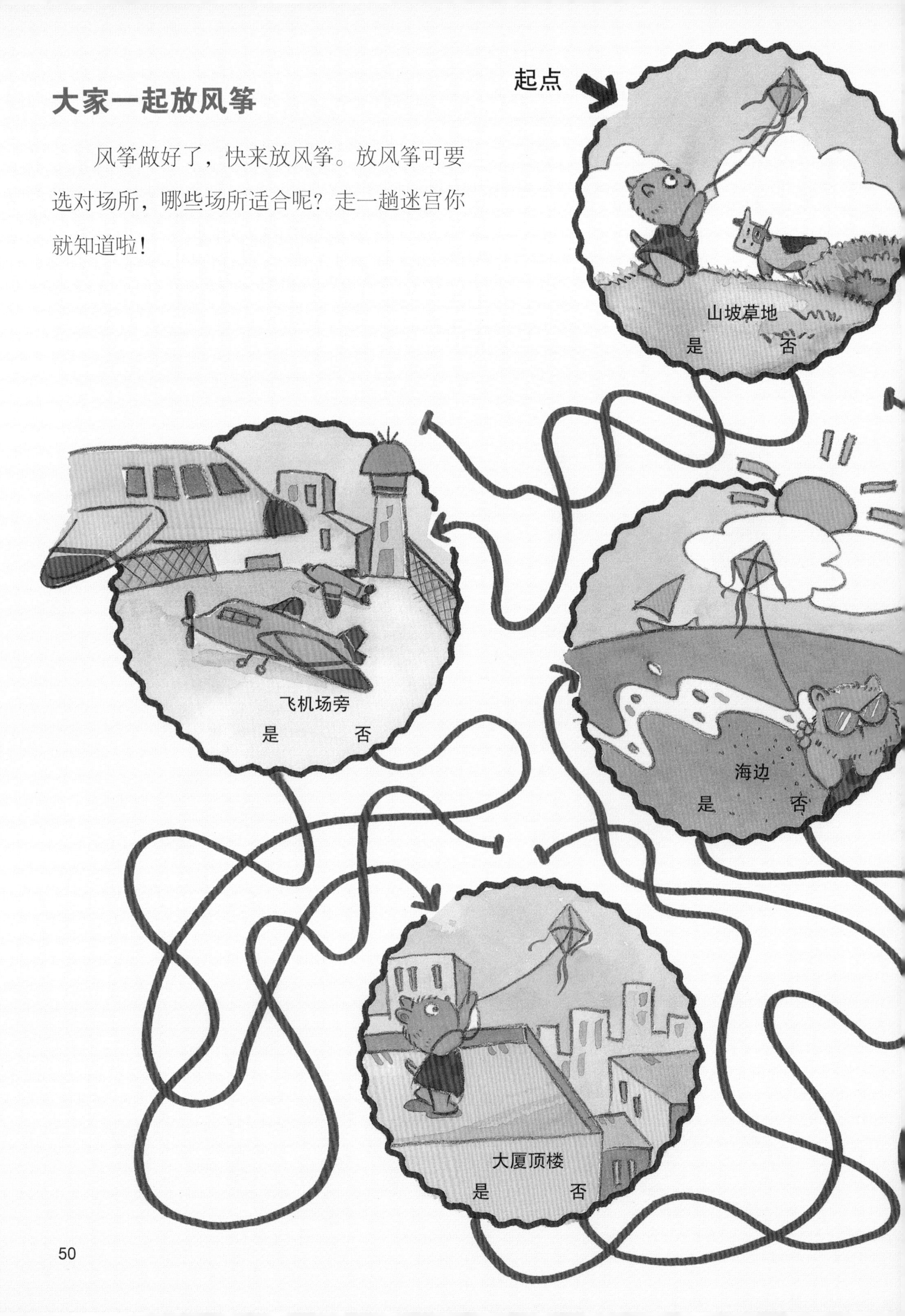

公园
是
否
有雷雨的空地
是
否
火车铁轨旁
是
否
操场
是
否
终点

风车和水车转动了！

日常生活中，很多东西都是借助自然的力量而动起来的。例如，风可以将叶子从树上吹落、会把帽子卷走，水可以使木筏前进，也可以搬运河道的砾石。现在就一起来观察，图片中哪些东西是靠风力、水力动起来的？

图片 1

图片 2

图片 3

图片 4

风是怎么产生的?

夏季的白天，凉爽的海风会吹向陆地，这是因为陆地的温度比海上的温度高，当陆地上的空气受热而升空时，海上的冷空气就乘虚而入了。

图片 5

观察力大考验

图片 1—5 中有些是靠风力动起来的，有些是靠水力动起来的。

一、靠风力动起来的是哪些?

____

二、靠水力动起来的是哪些?

____

观察力大考验答案

一、图片3 图片4 图片5

二、图片1 图片2

为什么风车可以转

当风吹向扇叶时，会在扇叶上、下形成两种速度不同的气流。在上方的气流速度较快，可使扇叶产生浮力，称为“升力”。下方的气流则可推动扇叶，称为“抗力”。这两种力量会因为扇叶形式的不同，而出现升力大于抗力，或抗力大于升力的情形，但不论哪一种形式的扇叶，都可以使风车转动。

纸制风车

右图为荷兰型风车。荷兰人善加利用风车的动力来研磨谷物、造纸、榨油以及抽水等。

风力的运用

转动的扇叶可以产生动力，这种动力经由许多齿轮所组成的传动装置，就能带动连接在齿轮上的石磨或抽水机。因此很早以前风车就被用来研磨谷物或抽取水源。到了近代，则开发出利用风力发电的设备。通常扇叶直径 10 米的风车可以产生 200 瓦左右的电力，而所产生的电还可以贮存起来。所以即使没有风，风车无法转动时，仍有足够的电力可以使用。

改良后的新式风车

一般风车的扇叶为水平轴式安装，也就是必须正对着风向，但是风不一定都从同一个方向吹来，而且旋转的速度常会因风力的强弱产生变化。因此，现在可用电脑调整扇叶与风向的角度，以维持固定的转动速度。另外，还有人将风车改良为垂直轴式，无论风从哪里来都可以吹动它。

这是垂直轴式风车。

这是利用风力来发电的螺旋桨型风车。

哪个风车转得快？

风车是靠风力转动起来的，猜猜看，下面的风车哪个转得快。你能做出几种不同造型的风车呢？

风车的制作

1. 会“跑”的风轮

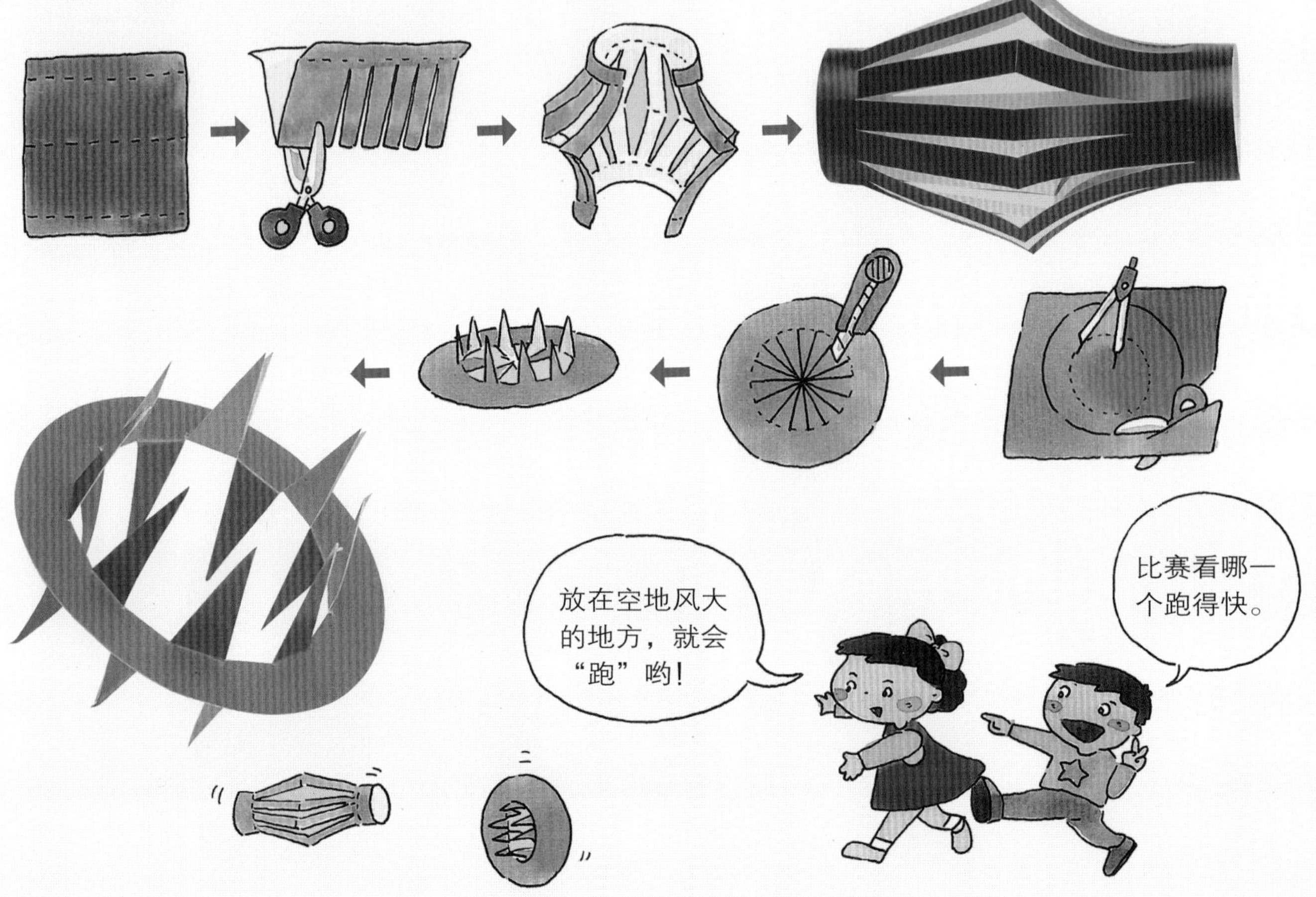

2. 多叶片的风车

小实验，大发现

一、将做出来的风车对着电风扇，一边控制风的大小，一边观察风车转动的情形。（在正确的选项前请打√）

1. 风越大，风车转得

□越快　□越慢

2. 风越小，风车转得

□越快　□越慢

3. 风力大小和风车转动快慢

□无关　□有关系

二、在同样的强风下，风车距离风扇越远，转动的速度

□越快　□越慢

小实验，大发现答案

一、1. 越快；2. 越慢；3. 有关系

二、越慢

水车真好玩

水车是利用水的动力而运转的，想不想一起做个水车来玩玩？果蔬或是吃完的蛤蜊壳都是不错的材料，快来试试看！

水车的制作

1. 用空心菜做的水车

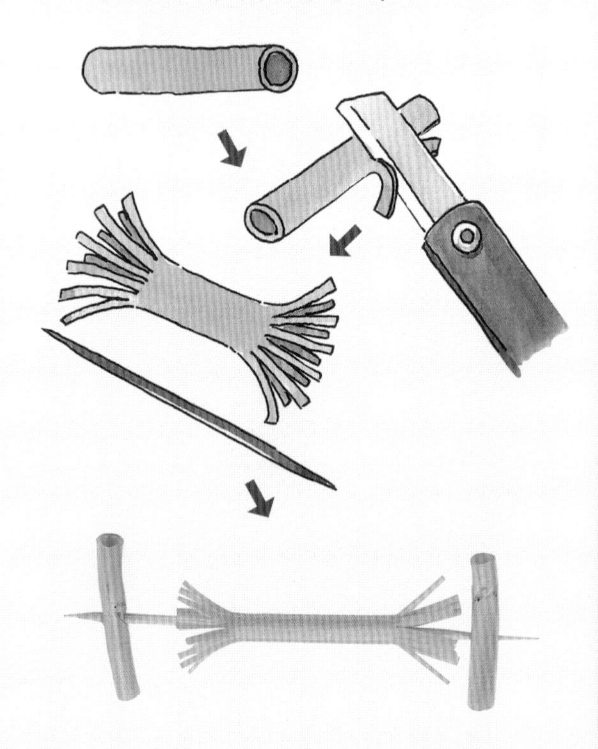

2. 用胡萝卜做的水车

3. 用厚纸做的水车

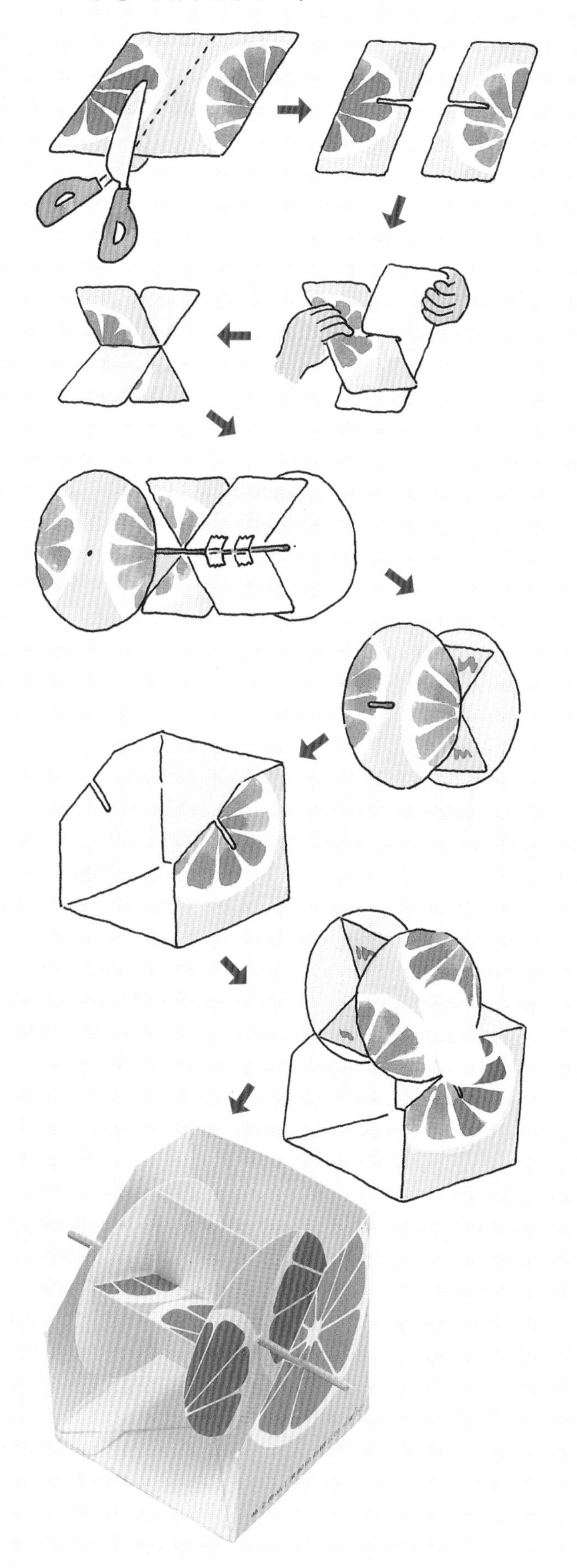

小实验，大发现

1. 用水冲叶片不同的位置，水车转动的速度一样吗？

转动最快的是______________

转动最慢的是______________

2. 用水冲叶片相同的位置，但水车距离水龙头的远近不同，转动的速度一样吗？

水车距离水龙头近，转动较______

水车距离水龙头远，转动较______

小实验，大发现答案

1. 甲；丙 2. 慢；快

会旋转的纸飞机

咦，真神奇！明华做的纸飞机看起来没什么特别之处，居然会旋转啊！其实只不过有小技巧罢了，你想不想来试试？

1. 准备一张纸，对折后翻开。

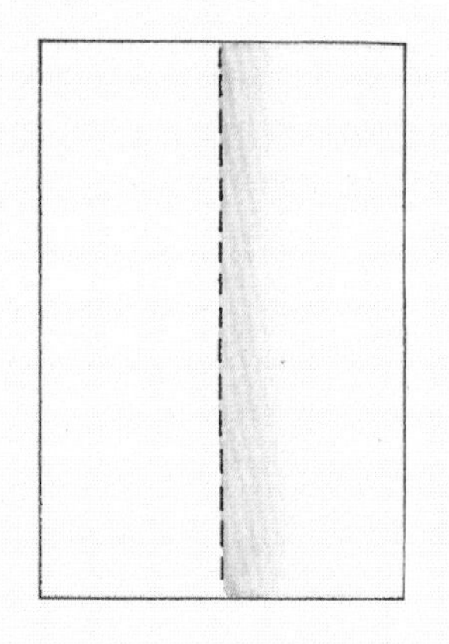

2. 如图所示将左右两边向内折。

3. 仍以虚线为中心，如图所示再对折一次。

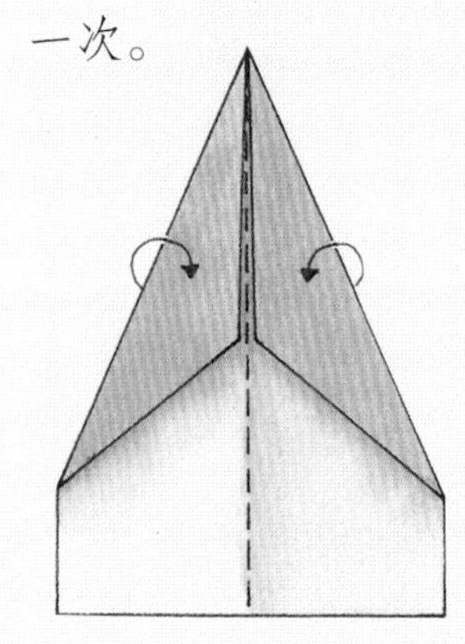

没有剪出长方形的纸飞机，用力往前掷时，纸飞机只会向前飞出去，却不能旋转。但是为什么剪出长方形的纸飞机就会旋转了呢？原来，纸飞机掷出时，空气流经长方形向上折的机翼会使机翼的另一边造成一股向下的力量，而空气流经向下折的机翼时，也同样会使另一边的机翼产生一股向上的力量，于是靠着两股一上一下的力量，就使飞机边飞边旋转了。

4. 将两侧向外翻开对折一半，做出机翼，纸飞机就完成了。

5. 最后将飞机如图所示在左、右机翼上各剪出一个长方形，但不要完全剪断，再将长方形一边向上折，另一边向下折。

小牛顿科学馆

全新升级版